اثنين

Two

ثلاثة

Three

Number

أربعة

Four

خمسة

Five

ستة
Six

سبعة

Seven

Number

ثمانية

Eight

تسع

Nine

خضروات

Vegetables

البطاطس

Potato

طماطم

Tomato

بصلة

Potato

جزر

Carrots

بروكلي

Broccoli

فلفل حلو

Bell Pepper

Vegetables

خس

Lettuce

جزر

Cucumber

كرفس

Celery

حبوب ذرة

Corn

Vegetables

الفاكهة

Fruits

موز

Banana

تفاحة

Apple

الفراولة

Strawberry

عنب

Grape

البرتقالي

Orange

البطيخ

Watermelon

Fruits

ليمون

أفوكادو
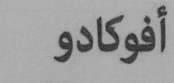

Lemon

Avocado

Fruits

خوخ

توت بري

Peach

Blueberry

حيوان

Animal

نسر

Eagle

خروف

Sheep

كلب البراري

Prairie Dog

أرنب

Rabbit

Animals

جمل

Camel

كلب

Dog

قرد

Monkey

يتحمل

Bear

حمار

Donkey

معزة

Goat

Animals

طيور

Birds

حمامة

Pigeon

أساسي

Cardinal

غراب أسود

Raven

عصفور

Sparrow

Birds

طائر الحسون

Goldfinch

بطة

Duck

القرقف

Titmouse

جونكو

Junco

Birds

الوقواق

Cuckoo

طائر اللقلق

Stork

الحشرات

Insects

نحلة

Bee

النمل الأبيض

Termite

حشرة العتة

Moth

خنفساء

Beetle

Insects

فراشة

Butterfly

كريكيت

Cricket

دعسوقة

Ladybug

المن

Aphid

Insects

برغوث

Flea

النملة

Ant

مركبات

Vehicles

أوتوبيس

Bus

شاحنة نقل

Truck

سياره اسعاف

Ambulance

صاروخ

Rocket

Vehicles

مطار

Airplane

هليكوبتر

Helicopter

دراجة

Bicycle

دراجة نارية

Motorcycle

Vehicles

قارب

Boat

سفينة

Ship

أجزاء الجسم

Body Parts

رأس

Head

شعر

Hair

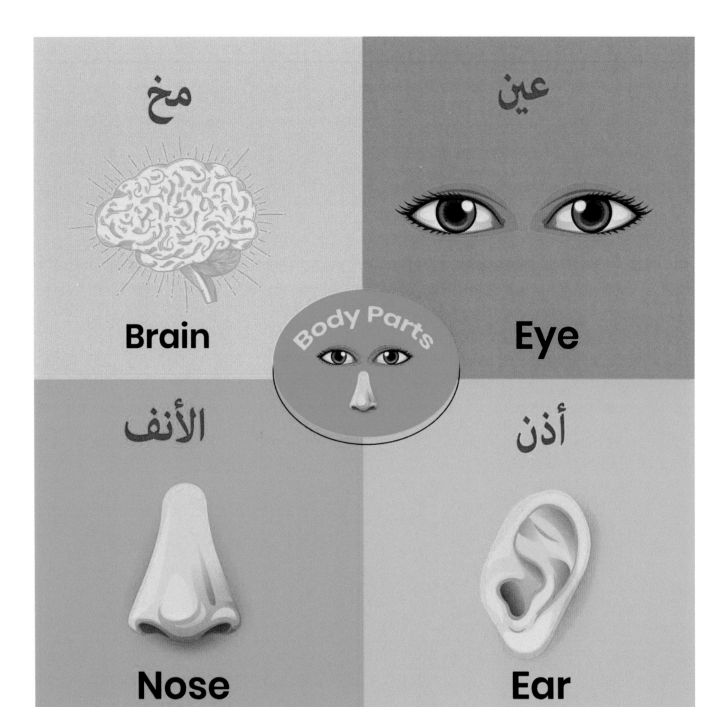

رقبه

Neck

اصبع اليد

Finger

Body Parts

صدر

Chest

ساق

Leg

أجزاء اللون

Color Parts

أبيض

White

أحمر

Red

أزرق

Blue

لون أخضر

Green

Color Parts

البرتقالي

Orange

زهري

Pink

نفسجي

Purple

أسود

Black

الأصفر

Yellow

مارون

Maroon

Color Parts

رياضات

Sports

كرة القدم

Soccer

كرة سلة

Basketball

تنس

Tennis

الكرة الطائرة

Volleyball

البيسبول

Baseball

كرة القدم

Football

Olympic Games

الأولمبية الألعاب

Golf

الجولف

Chess

شطرنج

Hockey

الهوكي

Sports

Made in the USA
Coppell, TX
15 April 2022

7662429R00019